© Éditions Fleurus 1989
Dépôt légal 1989 – N° d'édition 89025
Imprimé en Belgique

KITOU SCROGNEUGNEU

à l'école de Julien

Images de Marino DEGANO

Texte d'Ann ROCARD

ÉDITIONS FLEURUS, 11, rue Duguay-Trouin 75006 PARIS

Kitou Scrogneugneu est un petit monstre
affreux, hideux, baveux, avec six yeux dans
les cheveux. Il habite à Lilaville, rue de
la Barbichette, dans une cachette secrète.
Sous le lit de son amie Lucie se trouve
un recoin que personne ne connaît : c'est là
que vit Kitou. Mais seule la petite fille le sait.

Une nuit, pendant que Lucie est endormie,
Kitou se glisse par la fenêtre. Il sautille
jusqu'au square de la Butte d'or et il s'éloigne
au clair de lune.
Il marche, marche, marche longtemps,
sur les trottoirs, au bord des routes et
à travers les champs...

Quand les premiers rayons du soleil
apparaissent, le petit monstre décide enfin
de regagner Lilaville. Hélas ! pas moyen de
retrouver son chemin... Kitou Scrogneugneu
est complètement perdu !

Pauvre Kitou... Il se cache derrière
un tas de bois et il commence à pleurer
des larmes jaunes et vertes, quand, soudain,
il entend du bruit : un petit garçon, cartable
sur le dos, donne des coups de pied dans
une vieille boîte de conserve et répète :
— Non, je n'irai pas à l'école ! Non, non et
non ! Je n'aime que la récréation.

Intrigué, Kitou le suit de loin, sur la pointe des pattes. Tout à coup, le petit garçon se retourne et grogne avec une affreuse grimace :

— Pourquoi me suis-tu, affreux poilu ?

— Je ne suis pas un affreux poilu, dit Kitou. Je suis affreux, hideux, baveux, avec six yeux dans les cheveux. Je m'appelle Kitou Scrogneugneu.

— Moi, je m'appelle Julien, dit le petit garçon en riant.

Julien s'approche du petit monstre, il sort cinq billes de sa poche et il propose :

— On fait une partie ?

— D'accord ! dit Kitou. Mais... pourquoi ne vas-tu pas à l'école ?

— Je suis nul : c'est le maître qui l'a dit ! répond le petit garçon.

Kitou hoche la tête ; il se souvient de son école pour monstres, et il soupire :

— Moi aussi, j'étais toujours le dernier des derniers... Je ne faisais jamais de fautes dans mes dictées.

— Oh, moi si ! s'écrie Julien.

— Je ne parlais jamais avec mes voisins, dit Kitou.

— Oh, moi si ! Je suis un vrai moulin !

— Je ne mangeais jamais mes crayons, ajoute le petit monstre.

— Oh, moi si !...

Julien n'en revient pas : quelle drôle d'école !

La sienne n'est vraiment pas comme ça !
Kitou raconte alors toute son histoire au petit
garçon : ses parents qui étaient de terribles monstres,
son amie Lucie chez qui il s'était réfugié... et puis
comment il est arrivé là après avoir marché
longtemps au clair de lune.
Mais le petit monstre est très inquiet : il veut
retourner chez son amie Lucie.
Julien se gratte la tête et réfléchit :
— Lilaville ? Hum... Moi, je suis nul en
géographie : je n'en ai jamais entendu
parler. Mais mon maître connaît peut-être
cette ville-là. Suis-moi !

Le petit garçon prend la patte de Kitou et
il l'entraîne sur le chemin.
A l'entrée du village se dresse une petite école.
Plus personne dans la cour ! Les enfants
sont déjà rentrés en classe... et la porte du hall
est fermée à clef.
Julien montre sa classe du doigt et il chuchote :
— C'est là, au premier étage.
— Passons par la fenêtre, propose Kitou.

Hop ! Julien et Kitou se font la courte échelle.
Hop ! Ils atterrissent sur le rebord de la fenêtre
et ils font de grands signes derrière les vitres.

— Là ! Un homme préhistorique ! s'écrie
une petite fille, ahurie.
— Un homme préhistorique avec des poils
partout ! ajoute sa voisine.

Le maître, monsieur Soupochou,
se retourne. Ahhh ! Ses cheveux se dressent
tout droit sur le sommet de sa tête. Ahhh !
Ses bras s'agitent de bas en haut et de haut en
bas. Ahhh ! Il bafouille, il bredouille :
— Ah ah ah ! Au au au ! Au secours !
Un extraterrestre ! Allez chercher
les pompiers, l'ambulance, la police,
le marchand de frites !

Au même instant, Julien pousse la fenêtre
entrouverte et il saute dans la salle de classe
en riant :
— Ne vous en faites pas ! Ce n'est pas
l'homme de Cromagnon ! C'est Kitou,
un copain à moi ! Est-ce qu'il peut écouter
la leçon ? Il ne fera pas de bruit, promis !
Monsieur Soupochou est tellement surpris
qu'il n'ose pas dire non. Tremblotant
toujours, il reprend sa craie et gribouille
quelques lettres sur le tableau : kakatoès...

Les enfants écarquillent les yeux : kakatoès...
Qu'est-ce que c'est : un mot magique ou
du chinois ?
Dans la classe, un seul élève lève le doigt.
Il est affreux, hideux, baveux, avec six yeux
dans les cheveux.
— Moi, je sais ce que c'est ! dit Kitou
Scrogneugneu. Le kakatoès ou cacatoès est
un perroquet blanc avec une huppe jaune ou
rouge sur la tête. Il vit très loin d'ici,
en Australie.

Aussitôt, tous les enfants applaudissent :
Bravo ! Bravo !
Même le maître n'en revient pas : le bon élève
que voilà ! Et son visage s'éclaire d'un large
sourire.

— Moi aussi, je voudrais vous poser
une question, commence le petit monstre.
— Je t'écoute, dit monsieur Soupochou.
— Je voudrais rentrer à Lilaville. Savez-vous
où se trouve cette ville ?
— Naturellement, évidemment ! répond
le maître. Si tu veux, je t'y conduirai ce soir.

Alors, pendant toute la journée, Kitou reste
au côté de Julien. Pendant le cours de
gymnastique, le petit monstre grimpe au
sommet du portique et il se balance de
corde en corde en poussant des cris de
Tarzan, aussi fort qu'un éléphant : ya-an !

INFIRMERIE

A l'heure du déjeuner, il se retrouve à
la cantine et ses yeux pétillent de gourmandise :
— J'avais justement une faim de monstre !
— Beurk ! grogne Julien. Y'a du poisson
aux épinards, je déteste ça...
— J'adore ça, s'écrie Kitou, qui avale tout
le plat d'un seul coup.
— Beurk ! Y'a de la salade et du fromage
aux noisettes...

— J'adore ça, s'écrie Kitou, qui lèche toutes les assiettes.

— Beurk ! Y'a du gâteau à la noix de coco...

— J'adore ça, s'écrie Kitou, qui engloutit le dessert et n'en laisse pas une seule miette.

Julien ouvre grand les yeux. Ça alors, il n'en revient pas : quel ogre, ce monstre-là !

Après la récréation, les enfants retournent
dans la classe : aujourd'hui a lieu
la composition de récitation !
— Aïe aïe aïe, soupire Julien. Je ne m'en
souviens plus très bien.
Heureusement, Kitou Scrogneugneu est là.
Il connaît toutes les comptines, toutes
les poésies par cœur !
Du bout des lèvres, il souffle les mots oubliés
aux élèves ravis... et monsieur Soupochou
fait semblant, pour une fois, de ne pas s'en
apercevoir.

La journée est maintenant terminée. Dans
la cour, les enfants embrassent le petit monstre.

Monsieur Soupochou tend un casque de motard à Kitou et il l'installe sur le porte-bagages de sa moto... brrroum ! qui pétarade aussitôt en direction de Lilaville.
Sur le trottoir, Julien agite longtemps la main et il murmure :

— Au revoir, Kitou ! Au revoir ! Reviens me
voir bientôt ! Tu pourras me trouver tous
les jours à l'école, sauf le dimanche et
le mercredi. Et pour savoir où tu habites,
je crois que je vais m'intéresser à
la géographie.

Un peu plus tard, Kitou est de retour rue de
la Barbichette. Il remercie monsieur Soupochou
et il grimpe vite le long de la gouttière.
Hop ! Le voilà dans la chambre où Lucie
l'attendait, très inquiète :
— Mon Kitou, j'ai cru que je ne te reverrais
plus jamais, jamais...
— Moi aussi, dit le petit monstre.

Cette nuit, Kitou ne dormira pas dans
sa cachette... Oh non ! Il va se glisser sous
l'édredon de son amie Lucie, et tous
les deux vont parler, parler sans s'arrêter,
jusqu'au lendemain... Mais chut ! Il ne faut
pas le répéter, car c'est leur secret.